Le Silence intérieur d'une victime consentante

Les images de ce livre sont les reproductions de tirages originaux faisant partie
de la collection de la Fondation HCB. Certains comportent les « filets noirs »
que Cartier-Bresson a exigés tardivement ; les tirages les plus anciens ne les ont pas.
De même, par souci de rigueur, nous avons choisi de ne pas supprimer les
quelques « défauts » que certains tirages présentent.

Cet ouvrage est le premier de la collection de la Fondation HCB.

Publié en France par les Editions Thames & Hudson SARL, Paris, à l'occasion
de l'exposition *Le Silence intérieur d'une victime consentante*
à la Fondation Henri Cartier-Bresson, Paris, du 18 janvier au 9 avril 2006.

En couverture : Cracovie, Pologne, 1931

PORTRAITS PAR **HENRI CARTIER-BRESSON** *le silence intérieur d'une victime consentante*

Thames & Hudson

Autoportrait, 1984, collection François-Marie Banier, Paris

Si, en faisant un portrait
on espère saisir le silence
intérieur d'une victime
consentante, c'est très
difficile de lui introduire
entre la chemise et la
peau un appareil photo-
graphique.
    Quant au portrait au
crayon, c'est au dessina-
teur d'avoir un silence
intérieur. —

18.1.1996

Henri Cartier-Bresson

Henri Cartier-Bresson, Paris, 1992. Martine Franck/Magnum Photos

SILENCES

Pour cette première exposition consacrée aux collections de la Fondation, nous avons choisi de montrer une sélection de portraits réalisés par Henri Cartier-Bresson tout au long de sa vie. Le long travail d'inventaire, toujours en cours, nous permet maintenant de mieux appréhender le patrimoine qu'Henri Cartier-Bresson a légué à la Fondation.

Pourquoi des portraits, et pourquoi ceux-là dont les regards tendus éclairent magnifiquement la nécessaire pénombre des cimaises ?

Pour le silence des absents.

Pour leur présence, qui ne supporte aucun bavardage, aucun effet inutile, à l'opposé des pages des magazines plus friands d'anecdotique.

Pour « le regard du portrait », enfin, une précieuse formulation qui donne son titre à l'ouvrage de Jean-Luc Nancy : « Le portrait véritable est donc bien […] celui dans lequel le personnage représenté n'est pris dans aucune action ni même ne supporte aucune expression qui détourne de sa personne elle-même[1]. » HCB s'y reconnaîtrait volontiers qui n'avait de cesse d'éloigner l'artifice pour saisir, « piquer comme un moustique[2] » une personne en général volontaire.

Après avoir officiellement décidé d'arrêter le reportage, au début des années 1970, pour revenir à ses premières amours, le dessin, HCB continuait cependant à photographier des visages : cette passion pour l'être mis à nu derrière l'objectif, pour cet échange en « tête à tête[3] » ne s'est jamais érodée.

Son amour pour la peinture l'avait conduit, à la fin de la guerre, après son évasion, à photographier des peintres pour l'éditeur alsacien Pierre Braun ; c'est ainsi qu'il se rendit à plusieurs reprises chez Matisse (p. 135), puis Bonnard (p. 153), Braque (p. 149) et quelques autres : « Quand j'allais chez Matisse, je m'asseyais dans un coin, je ne bougeais pas, on ne se parlait pas. C'était comme si on n'existait pas[4]. »

Plus tard, parfois dépêché par de prestigieux titres américains – *Harper's Bazaar*, *Vogue*, *Life* –, il fit la connaissance de nombreuses personnalités que son goût pour les lettres, les arts ou la recherche et sa curiosité insatiable pour l'être humain le poussaient à rencontrer.

Et toujours dans la plus grande discrétion, à la sauvette, avant que le modèle ne se fige, en silence.

C'est la raison pour laquelle cette sélection se veut très sobre, évitant au maximum l'expression appuyée de la pose : « Je cherche surtout un silence intérieur. Je cherche à traduire la personnalité et non une expression[5]. » A cet égard, il racontait volontiers sa rencontre avec Frédéric et Irène Joliot-Curie (p. 45) : « J'ai sonné, la porte s'est ouverte, j'ai vu ça, j'ai tiré, j'ai dit bonjour après, ce n'était pas très poli » ; ou bien celle avec Ezra Pound à Venise (p. 53) qui ne fut qu'un très long silence qui a « semblé durer des heures ». Truman Capote (p. 121) le décrivait comme « une libellule frénétique, le Leica collé à son œil, déterminé à faire ses clic-clac avec une joyeuse intensité et une ferveur religieuse qui emplissait tout son être ».

Les Curie, Ezra Pound ou Truman Capote, trois portraits exemplaires, trois présences admirables où « la libellule » a su capter d'un coup d'œil l'éternité d'un regard.

Qu'en est-il de la « victime », du sujet photographié ? Est-ce un plaisir, une souffrance, un avatar inhérent à la célébrité, un « rapt à la sauvette » ou bien une composition, comme l'exprimait Roland Barthes dans *La Chambre claire* : « Hélas, je suis condamné par la Photographie, qui croit bien faire, à avoir toujours une mine : mon corps ne trouve jamais son degré zéro, personne ne le lui donne[6]. » La réponse est peut-être contenue dans ces quelques lignes d'HCB introductives à son livre *Images à la sauvette*[7] d'une étonnante modernité : « A l'artifice de certains portraits, je préfère de beaucoup ces petites photos d'identité serrées les unes contre les autres aux vitrines des photographes de passeport. A ces visages-là on peut toujours poser une question, et l'on y découvre une identité documentaire à défaut de l'identification poétique que l'on espère obtenir. »

Tout le monde connaît l'aversion qu'éprouvait HCB pour la caméra pointée sur lui ; peut-être ressentait-il, comme Roland Barthes (p. 77), la fausseté de la situation : « Très souvent (trop souvent à mon gré) j'ai été photographié en le sachant. Or, dès que je me sens regardé par l'objectif, tout change : je me constitue en train de poser, je me fabrique instantanément un autre corps, je me métamorphose à l'avance en image[8]. »

Peut-être HCB ne voulait-il pas devenir image ? Mais lorsqu'il s'autoportraitise au dessin (p. 4), il est grave, son regard est intense, presque sévère, ce qui pour ce « jouisseur de l'œil » n'est pas sans nous étonner.

Est-ce une « mine » ? Est-ce enfin le « degré zéro » de son visage ? A cet égard, l'autoportrait au crépuscule, à la fin de sa vie (p. 10), en est peut-être la plus pure expression : l'ombre insaisissable, l'illusion platonicienne, les contours ?

Comment, dans le duel du portrait, faire face au regard de l'autre, quel est celui qui donne et quel est celui qui prend ? Comment tenir, face à l'œil insistant de l'appareil photo, lorsque l'on sait qu'il va fixer pour toujours une ressemblance, un air quelconque ?

« Devant l'objectif, je suis à la fois celui qu'on me croit, celui que je voudrais qu'on me croie, celui que le photographe me croit et celui dont il se sert pour exhiber son art[9]. » Une sorte d'acteur, finalement, selon Roland Barthes, qui a précisément analysé ce moment de la pose : HCB n'aimait pas photographier les acteurs, « trop de métier, ils posent immédiatement ». Les rares qui ont trouvé grâce à ses yeux, comme Marilyn Monroe (p. 145) et quelques autres, expriment un vrai moment d'abandon. Isabelle Huppert (p. 91) raconte : « J'avais conscience qu'il voyait en moi quelque chose que je ne connaissais pas […], il saisit un moment qui vient s'inscrire à la suite d'un mouvement ; c'est pour cela qu'il a raison de faire les choses vite[10]. »

Pour le photographe, la fulgurance est certainement bienvenue ; pour HCB en tout cas « un portrait c'est comme une visite de politesse de quinze, vingt minutes. On ne peut pas déranger les gens plus longtemps, comme un moustique qui va

Provence, 1999 © Henri Cartier-Bresson

piquer[11] ». A quelqu'un qu'il devait photographier et qui attendait le moment, mal à l'aise, s'étonnant que le photographe n'agisse pas, il lança : « Il y a belle lurette que je l'ai prise votre photo ! »

Il est certes habituel de penser que tout portrait est un autoportrait, les peintres l'ont beaucoup dit et la photographie telle qu'HCB l'a pratiquée est une vision du monde très personnelle : n'ayant rien à démontrer, bien conscient qu'il n'y a aucune vérité objective, il ne se reconnaissait pas dans le journalisme sauf « au sens du journal intime » ou du carnet de croquis.

C'est pourquoi il nous a semblé qu'exposer ces rencontres, c'est non seulement rendre hommage une fois de plus au talent du photographe, mais c'est surtout faire étinceler autant de parcelles de son être, comme autant de lucioles dans un pré, car le regard des portraits, c'est avant tout son regard, suspendu au fil de l'autre.

Agnès Sire
Commissaire de l'exposition

1. *Le Regard du portrait*, Galilée, Paris, 2000, page 25

2. Entretien avec Michel Guerrin, in *Le Monde*, 21 novembre 1991

3. *Tête à Tête – Les portraits d'Henri Cartier-Bresson*, ouvrage publié par Thames & Hudson, Londres, et Gallimard, Paris, 1998

4. Entretien avec Philippe Dagen, in *Le Monde*, 11 mars 1995

5. Cf. note 2

6. *La Chambre claire, notes sur la photographie*, Cahiers du Cinéma, Gallimard, Seuil, Paris, 1980, page 27

7. *Images à la sauvette*, Tériade – Editions Verve, Paris, 1952

8. *La Chambre claire, op. cit.*, page 24

9. *La Chambre claire, op. cit.*, page 29

10. Entretien dans le film de Heinz Bütler *Biographie d'un regard*, février 2003, production NZZ

11. Cf. note 2

« Madame ma Concierge »

REGARD DONNÉ

1

Il leur a donné son regard.

Henri Cartier-Bresson a donné son regard à ceux qu'il a photographiés, à ceux dont il a fait le portrait photographique. A ceux dont il a tiré le portrait, formule qu'il faut entendre au sens propre et ancien de tirer le trait, de tracer les lignes, le dessin du portrait, et au sens moderne du tirage photographique : dans les deux cas, il s'agit de faire venir au jour, il s'agit de tirer au clair et par conséquent de démêler une énigme de visibilité.

L'énigme, c'est l'épaisseur de la chose prise en photo, de ce corps supposé être un sujet, quelqu'un : non pas le corps de quelqu'un, non pas le visage de quelqu'un, mais quelqu'un, là, son évidence, sa manifestation, son épiphanie. Quelqu'un : son allure, sa présence, son expression, son regard. C'est cette énigme qu'un nom propre épingle et qu'une image expose. C'est ce mystère – le vrai mystère d'une ressemblance – qui pareil à tout mystère ne s'explique par rien d'autre que par lui-même, ne s'explique pas en vérité mais s'éclaire de lui-même. Il est sa propre lumière et sa propre visibilité.

Or la visibilité de ces portraits se donne à voir, chaque fois, dans le regard qu'il leur a donné. Faut-il même parler de « portraits » ? Il ne s'agit pas de portraits si ce mot doit impliquer la ressemblance comme restitution d'une image, bien que chacune de ces photos *rende* fidèlement l'aspect d'une personne, d'un corps et d'un visage. Mais il s'agit de ce visage et de ce corps en tant qu'il se rapporte au monde et à lui-même : pour se rapporter ainsi, pour se porter au devant et au dehors (au dehors même qu'est pour lui sa supposée intériorité), il lui faut regarder. Il faut que ce corps *prenne en vue* l'espace qui l'entoure, et nous aussi dans cet espace, nous qui venons pour le regarder, lui ou son portrait, lui dans son portrait.

Il prend en vue grâce au regard qui lui est donné. Non pas « prêté », comme on serait facilement porté à dire, mais véritablement donné : abandonné, livré sans retour, devenu son propre, son plus propre regard. Plus propre à lui-même que sa plus propre propriété, que son intimité même qui en vient ici à se recevoir d'un autre – un qui va la chercher là où seul un autre peut la trouver, là où seul un autre peut l'inventer, peut la créer ou bien la laisser venir.

Chacun se rend visible dans ce regard, *comme* ce regard qui est le sien – mais le sien donné, le sien ne lui appartenant plus, donné, sorti de lui et nulle part ailleurs ni voyant, ni visible – pas même à lui-même – que dans leurs regards et comme leurs regards. « HCB », c'est eux tous ensemble et un par un, c'est un seul regard disséminé en centaines d'autres, tous ceux auxquels il s'est donné pour manifester leur mystère.

2

Par exemple – mais chacun d'eux, chacune d'elles est exemplaire de tous et de toutes en étant pour sa part l'exemplaire unique d'une série chaque fois interrompue et annulée aussi bien qu'elle est reconduite et multipliée sans limites très perceptibles. Le regard de *Marilyn* (p. 145) se trouve pris dans un cercle d'autres regards ou du moins de visées et de dévisagements, de caméras et de faces curieuses pressées derrière une vitre – deux hommes, une femme – cependant qu'au premier plan, tourné vers elle, comme nous, comme HCB, figure un chien dont le collier clouté souligne la présence, tandis que derrière elle un miroir en partie masqué entrouvre une perspective de renvois infinis.

Impossible de savoir si Marilyn pose pour une scène publicitaire, pour une fiction ou bien pour un portrait (en réalité, c'est le tournage des *Misfits*, mais l'image n'en dit rien). Quoi qu'il en soit, la voilette sur le chapeau et la robe sobre posent un personnage dépourvu de provocation. La séduction demeure, elle s'aggrave même, est-il permis de dire, mais en se détournant de nous comme Marilyn détourne son regard qui part on ne sait où, vers une autre caméra ou bien jusqu'à nulle part. Il part avec une certaine lassitude, un peu d'ennui peut-être, une ombre imperceptible de sourire sur les lèvres, l'effacement d'un sourire, l'imminence d'une mélancolie.

La claire découpe du visage et du décolleté – large mais retenu, précis, nudité réservée, non promise – isole cette image, cette icône qui reste suspendue entre les regards d'où le sien se distrait et s'esquive, offerte et perdue au milieu du spectacle, elle-même spectacle qui se retire du spectaculaire.

3

Louis Pons (p. 59), un ours empaillé tourné vers nous entre l'homme et son reflet détourné vers la gauche, un ours dont le regard de verre double celui de l'homme et souligne sa fixité scrutatrice. Il guette, il se guette, il s'inquiète peut-être ou peut-être il s'observe en guettant celui qui le prend et comment il le prend et comment il s'y prend. On croirait qu'il est prêt à montrer les dents comme l'ours, mais en réalité ce dernier figure dans le portrait l'autoportrait de l'optique photographique, l'autoportrait de HCB en avaleur d'image. C'est un jeu, un regard joueur. Il ne montre pas les dents, il rit.

4

Profil droit, debout en buste, *Christian Dior* (p. 24) est tourné vers une fenêtre dont la lumière l'éclaire sur un mode très classique – éclairage latéral qui se joue à travers des ombres du visage, des plis du veston, des boutons et de la cravate sur la chemise. On voit à peine son regard dirigé vers la source de lumière, vers le jour supposé dehors, on voit juste l'œil gauche comme presque vide et très mince, effilé au milieu de la grande face dont le front et le nez en deux longues courbes tranchantes et la bouche un peu pincée, la lèvre inférieure en retrait, portent une disposition tout ensemble attentive, évasive et non exempte de gravité, voire de souci. Devant lui un grand rideau de tissu léger, à pois, aux bords festonnés, dont la minceur translucide est reprise par une autre bande claire derrière le crâne qui s'y dessine, évoque à n'en pas douter l'art de Christian Dior, mais l'évoque dans ce contraste entre le tissu diaphane et la solidité sombre du corps planté comme une stèle : entre les deux, le regard s'en va vers la transparence même.

5

Simone de Beauvoir (p. 93) n'occupe qu'un petit quart de l'image, en bas à droite, contre un rideau de fer baissé (qui indique une heure matinale ou un jour férié) sur le trottoir d'une rue déserte où trois passants seuls au milieu de la chaussée restent flous par absence de profondeur de champ.

Dans cette imprécision du décor qu'il s'agit donc d'élider, tout se réduit aux lignes de profondeur de la rue et aux verticales des immeubles et d'un grand réverbère dont une échelle dressée souligne l'élévation. Or Simone tourne les yeux vers le haut, les détournant de nous comme de la rue, et de sa coiffure en turban dressé jusqu'au pli de ses lèvres son regard semble tirer tout le visage, l'attirer vers une altitude dont on ne sait ce qu'elle peut être ou bien recéler, ne pouvant consister ni dans un ciel spirituel ni dans un rêve éveillé.

Mais c'est une pensée, c'est l'épiphanie d'une pensée farouche, volontaire et svelte, joueuse aussi et tendre, une pensée qui s'enchante de ses pensées et qui refuse de céder sur aucune exigence en elle ni de la grâce ni de la raison.

Nota bene : Sartre avec Pouillon (p. 83) est aussi photographié en bas à gauche de l'image avec l'arrière-plan d'un pont indistinct et plus loin, vaporeux, le dôme de l'Institut. Les lignes vont alors dans la seule profondeur et dans le lointain, non dans la hauteur lumineuse. C'est la différence des sexes.

6

« *Madame ma Concierge* » (p. 12) dévisage un visiteur que HCB a placé là tout exprès pour capter le regard de cette dame, pour lui donner un objet et un objectif, pour la soustraire ainsi à l'exercice d'une pose sans vis-à-vis qui l'eût sans doute déconcertée. Elle est rendue à son rôle qui se trouve remis en scène. Elle est rendue à sa fonction d'accueil et d'inspection du visiteur inconnu (« inspection », « visiteur » : combien est étendu le lexique du regard !). L'inconnu parfois est importun, voire intrus : elle observe sans complaisance, sans hostilité mais sur ses gardes ; elle observe un regard tourné vers elle et reflété dans le miroir qui reflète à son tour la vitre de la porte d'entrée dans l'éclaboussure d'une lumière reflétée (pas un flash, en principe) qui rend possible et qui met en gloire ce jeu classique de la réflexion infinie, ici rafraîchi par le regard de surveillance et par son contrôle des identités. En lui paraît se concentrer toute la force de cette vigile et toute sa dignité fermement établie au milieu de son décor familier, pendule, photo de famille, vase de fleurs et fruit pelé sur une assiette.

7

Il travaille à son bureau comme un autre travailleur de bureau, loin de la foule des rassemblements et des marches. C'est *Martin Luther King* (p. 71) : il travaille, il est occupé, préoccupé peut-être, absorbé en tout cas au milieu de sa tâche ordinaire – courrier, dossiers – par une pensée, par une interrogation, à moins que ce ne soit par une échappée dans le souvenir. C'est ainsi que le veut le photographe : il le pousse dans son retranchement, il met tout en œuvre pour le rendre absent à l'appareillage photographique, il appuie sur lui avant d'appuyer sur le déclencheur, il pèse sur lui comme en témoigne la main sur laquelle Martin Luther King appuie son front, cette large main qui le soutient mais qui le retient aussi de nous regarder, de regarder quoi que ce soit, qui laisse les yeux basculer dans le vide au creux du bras tandis que la main droite garde suspendu, inemployé pour le moment, le stylo ou le crayon dont elle est munie.

HCB le regarde ne pas regarder, il lui donne cette perte du regard dans la réflexion, dans la rumination ou dans le souci, dans une certaine pesanteur proche de partir vers l'accablement que désigne tout autour l'entassement des papiers, du téléphone, de la radio, du chapeau posé à la hâte sur une pile de dossiers, du coupe-papier, tout un affairement de besogne au milieu duquel, nous le savons, se débat un rêve tenace.

8

Coco Chanel, *Oppenheimer*, *Braque*, *Char*, *Capote*, *Leiris* sont d'autres exemples (avec Beauvoir, King) d'une manière où le sujet lui-même n'occupe qu'une proportion réduite de l'image – comme seulement admis à s'y trouver, figurant à côté de son propre portrait – tandis que le regard est promené parmi des signes qui le guident et qui le diffractent en même temps, qui le focalisent mais le distraient, des signes qui instruisent le portrait, c'est-à-dire à la fois qui renseignent, qui signifient, et qui mettent en ordre, qui forment un agencement, une composition, une raison d'être, la raison rendue d'un regard.

Chacun des signes ou signaux nous regarde du regard du photographe, du regard du monogramme HCB dont nous savons bien que pas un indice ne lui a échappé, sinon lors de la prise même, du moins lors de la sélection des images. Chacun signale et signe ce regard posé aux deux sens du mot : placé, situé, calme, attentif.

9

En revanche *Prévert*, *Le Clézio et sa femme*, *Jung*, *Marie-Claire Vaillant-Couturier*, *Ezra Pound* exemplifient une autre manière, où le sujet tient la plus grande place – ce qu'on pourrait nommer, en reprenant les termes de la peinture, un portrait plus autonome, plus soustrait à l'esquisse d'une scénographie. Il faudrait dire alors que tous les signes sont rassemblés sur le sujet, en lui, entre ses rides, entre ses lèvres, entre ses mains. Il absorbe toute la signifiance dans un geste et dans un regard propres jusqu'à en être surappropriés, jusqu'à former une hyperbole de sa subjectité – de son énigme. Il ou elle, dans ce cas, renvoie différemment le regard qui lui est donné : il ne le détourne pas ni ne le restitue à l'infini de sa provenance, mais il l'adresse sur un mode plus tendre, plus ému, plus inquiet de se trouver comme réduit à ce colloque singulier avec l'objectif, à cet entretien sans fin, sans but et même sans échange : regards appuyés l'un sur l'autre.

10

On peut contraster les deux manières en disant que selon la première le regard de HCB s'atteste et s'affirme dans un système complet de vues que délimite et que répartit le cadre, tandis que selon la seconde son regard se cherche et se perd dans le regard du sujet qui absorbe toutes les vues possibles.

Ce serait trop simple, bien entendu, et il y a de très nombreuses manières mixtes ou intermédiaires.

Ainsi par exemple – exemple une fois de plus parmi d'autres et de tous exemplairement distinct – le portrait de *Matisse* (p. 135), où le sujet assume l'importance mais non sans la partager avec un grand tissu peint chinois fixé au mur, dont le léger flou n'empêche pas mais bien au contraire avive la fonction de signe, d'un grand signe de dessin, d'un pavillon ou d'un étendard de découpe et de trait qui paraît flotter comme une vapeur émise par Matisse lui-même dont en même temps la tête au regard songeur, détourné, un doigt sur les lèvres soulignant le silence pensif, rétif peut-être même à la conversation, laisse le grand corps peser de tout son poids dans l'étoffe épaisse et ample du vêtement d'intérieur.

11

Selon toutes les manières, le regard de HCB est donné – je dirais qu'il est adonné à sa vision, il s'enfonce en elle jusqu'à rendre possible sa fuite dans la photo et son retournement vers nous depuis l'image qu'il aura laissé se faire, qu'il aura laissé venir, monter à la surface du sujet et du décor tout entiers exposés, extravertis en lui, comme lui et par lui, pour impressionner la pellicule de l'appareil et nos propres yeux.

Le regard va se placer, se déposer et se laisser prendre à même les objets ou bien à même l'autre regard – le regard de l'autre qui en tant que regard n'est que le même infiniment, l'infini du regard de tous : car c'est toujours d'une même visibilité qu'il s'agit, celle de ce qui se met à regarder, celle de ce qui *prend en vue* un monde et un habitant du monde, le monde d'un habitant du monde.

Le visible en tant que regard, le visible en tant que sujet de la vision : *regard* en son sens d'ouverture ménagée vers des dessous, des cachettes et des lieux réservés. C'est le visible en tant que voyant car c'est en se mettant à voir que chaque chose devient visible : c'est en recevant un regard, pour peu que celui-ci lui soit véritablement et sans retour donné.

Par exemple encore et toujours (*exemplum, eximo* : ce qu'on retire à la condition commune et indistincte), le diplôme accroché au mur derrière le bureau de *Martin Luther King* (p. 71) ne devient visible que s'il porte, pour sa part, quelque chose du regard de HCB et avec lui quelque chose du regard de Martin Luther King tel que le premier l'a rendu visible : en tant que plongé dans une pensée dont ses yeux deviennent la visibilité. Car ces yeux n'ont rien à faire du diplôme derrière eux et dont la présence ordinaire ne les retient plus jamais, sinon par l'effet de quelque souvenir fugace. Mais ce diplôme maintenant regarde, tourné qu'il est vers nous et nous signalant un titre, un grade, une profession ou une dignité, une appartenance. Nous dévisageant ainsi afin de surprendre sur nous la curiosité ou bien le désintérêt pour un accessoire très visiblement éloigné des pensées de celui dont nous avons là le portrait : ainsi, par conséquent, une curiosité ou un désintérêt, une prise en vue ou une occultation, une présence ou une absence *au regard* de ce qui peut ainsi faire signe ou non, faire signe peut-être dans l'épuisement d'une signifiance.

12

Quelle que soit la chose qui nous fait face, ça nous regarde : non pas que cela soit à notre égard comme un œil envers un objet, mais cela nous pénètre, cela nous occupe et cela nous importe (au sens où l'on dit en français familier : « Ça me regarde ! », c'est mon affaire, c'est de mon ressort et de ma responsabilité). Cela nous engage dans un sens, dans l'un des multiples sens dont la photo est l'éclat simultané, non moins que le chapeau, le coupe-papier ou bien la moustache de Martin Luther King, non moins que le collier du chien devant Marilyn.

Car tout cela fait du sens, mais du sens sensible, du sens posé contre nos yeux comme une touche impalpable, comme un air – une atmosphère et une allure – comme une façon, une disposition, un *habitus* et un *ethos*, une tournure, une grâce ou une faveur, comme un regard enfin et comme un don : ce qu'il leur a donné.

Mais ce don ne fut possible que parce qu'ils l'ont pris – eux, elles, qu'on appelle bien à tort les « modèles » ou bien les « sujets ». (Un don n'est-il pas seulement donné lorsqu'il est reçu et pris ?) Ils l'ont tiré vers eux, attiré dans leur mystère, c'est-à-dire dans leur évidence muette et lumineuse. Il fallait que cette évidence le saisisse pour qu'il s'y abandonne. Il ne sait même pas quand ni comment il s'abandonne : de cet espace-temps précis, il ne sait rien tout autant qu'il le calcule et le médite. C'est le point et l'instant du don, celui de l'évidence et de la certitude qui ne rend jamais raison d'elle-même car sa raison rendue se trouve déjà dans l'autre, dans l'image rendue à elle-même, tirée d'une absence invisible pour lui être aussitôt restituée. Partout l'image qui nous regarde retire son regard sous ses détails et dans ses ombres aussi bien qu'en pleine lumière et en plein visage – mais ce retrait n'est autre que le secret du don.

Jean-Luc Nancy

Né en 1940, Jean-Luc Nancy est agrégé de philosophie et docteur d'Etat en philosophie. Il enseigne à l'Université Marc Bloch de Strasbourg depuis 1968. Il est intervenu en tant qu'invité ou que détaché aux universités de Berlin, San Diego, Berkeley, Irvine.

Derniers titres parus :

WIR (avec Anne Immelé), Trézélan, Filigranes éditions, 2003. *Chroniques philosophiques*, Paris, Galilée, 2004. *Fortino Samano – Les débordements du poème* (avec Virginie Lalucq), Galilée, 2004. *La Déclosion – Déconstruction du christianisme*, Galilée, 2005. *Allitérations – Conversations sur la danse* (avec Mathilde Monnier), Galilée, 2005. *Sur le commerce des pensées* (dessins de Jean Le Gac), Galilée, 2005.

Georges Rouault

Christian Dior

Jeanne Lanvin

Nicole Cartier-Bresson

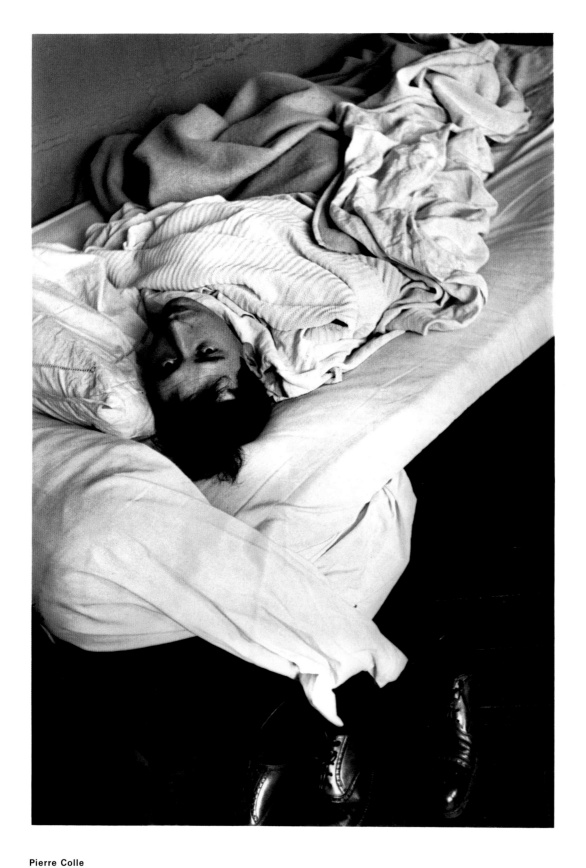

Pierre Colle

Mary Meerson et Krishna Riboud

Alberto Giacometti

Arthur Honegger

Elsa Triolet

José Bergamin

René Etiemble

Koen Yamaguchi

Léonor Fini

Irène et Frédéric Joliot-Curie

Cracovie

Quartier juif, Varsovie

Colette et sa gouvernante

Ezra Pound

Igor Markevitch

André Breton

Louis Pons

Marcel Duchamp

Roberto Rossellini

Alexander Calder

William Faulkner

Carson McCullers

Robert Flaherty

Joe le trompettiste et sa femme May

Pablo Neruda

Robert Oppenheimer

Avigdor Arikha

Beaumont Newhall

Jean Genet

Jean-Marie Le Clézio et sa femme

Jean-Paul Sartre et Fernand Pouillon

Paul Eluard

Louis Aragon

Albert Camus

Pierre Jean Jouve

Alain Robbe-Grillet

Isabelle Huppert

Simone de Beauvoir

Paul Claudel

François Mauriac

Julien Gracq

Emil Michel Cioran

Georges Duhamel

André Pieyre de Mandiargues

Joan Miró

Marie-Claude Vaillant Couturier (dite Mara Lucas)

Paul Léautaud

Varsovie

Sam Szafran

Saul Steinberg

Martine Franck

René Char

Alfred Stieglitz

Susan Sontag

Truman Capote

Marc Chagall

Michel Leiris

Lili Brik

Cordoba

Barbara Hepworth

Jacques Prévert

Edith Piaf

Igor Stravinsky

Mélanie Cartier-Bresson

Henri Matisse

Christian Bérard

Luchino Visconti

Carl Jung

Alexey Brodovitch

John Huston

Marilyn Monroe

Francis Bacon

Louis-René des Forêts

Georges Braque

Samuel Beckett

Pierre Bonnard

Page 57
André Breton
Chez lui, rue Fontaine, Paris, 1961
Epreuve gélatino-argentique, 2001
Tirage : 40,3 x 30,1 cm
Image : 37,3 x 24,8 cm
HCB1961014W07203/81C//1

Page 59
Louis Pons
Chez lui, Paris, 1999
Epreuve gélatino-argentique
d'époque
Tirage : 23,9 x 30,4 cm
Image : 18,6 x 27,8 cm
HCB1999001W14964/25-25A//1

Page 61
Marcel Duchamp
Paris, 1968
Epreuve gélatino-argentique
d'époque
Tirage et image : 19,7 x 29,1 cm
HCB1968007W11090/09//1

Page 62
Roberto Rossellini
Campanie, Italie, 1960
Epreuve gélatino-argentique,
années 1990
Tirage : 30,5 x 23,9 cm
Image : 27,7 x 18,4 cm
HCB1960011W06257/40//1

Page 63
Alexander Calder
Chez lui, Saché, France, 1970
Epreuve gélatino-argentique,
années 1980
Tirage : 30,3 x 23,9 cm
Image : 29,8 x 19,7 cm
HCB1970006W12231/33AC//2

Page 64
William Faulkner
Chez lui, Oxford, Mississipi,
Etats-Unis, 1947
Epreuve gélatino-argentique
d'époque
Tirage et image : 18 x 12,1 cm
HCB1946006W00004/05C//3

Page 65
Carson McCullers
New York, 1946
Epreuve gélatino-argentique,
années 1980
Tirage : 27 x 18,7 cm
Image : 24,7 x 16,4 cm
HCB1946053W00002/16//1

Page 67
Arthur Miller
Etats-Unis, 1961
Epreuve gélatino-argentique
d'époque
Tirage et image : 20,1 x 29,9 cm
HCB1961006W07020/24//2

Page 68
Robert Flaherty
Sur le tournage de *Louisiana Story*,
Etats-Unis, 1947
Epreuve gélatino-argentique,
années 1980
Tirage : 35,5 x 27,8 cm
Image : 25,3 x 16,9 cm
HCB1946009W00001/39C//4

Page 69
**Joe le trompettiste et sa femme
May**
New York, 1935
Epreuve gélatino-argentique signée,
1979
Tirage : 40 x 30 cm
Image : 35,5 x 24 cm
HCB1935001W0229EC//1

Page 71
Martin Luther King
Ebenezer Baptist Church, Atlanta,
Georgie, Etats-Unis, 1961
Epreuve gélatino-argentique
d'époque
Tirage : 26 x 17,4 cm
Image : 24,5 x 16,2 cm
HCB1961006W06970/78//2

Page 72
Pablo Neruda
Paris, 1971
Epreuve gélatino-argentique
d'époque
Tirage : 30,1 x 23,8 cm
Image : 24,6 x 16,3 cm
HCB1971014W12548/06//1

Page 73
Robert Oppenheimer
Etats-Unis, 1958
Epreuve gélatino-argentique
d'époque, signée
Tirage : 40 x 30,1 cm
Image : 39 x 26,2 cm
HCB1958005W04536/36C//2

Page 74
Avigdor Arikha
Dans son atelier, Paris, 1971
Epreuve gélatino-argentique,
années 1980
Tirage : 27,5 x 19 cm
Image : 25 x 16,4 cm
HCB1971014W12553/11C//2

Page 75
Beaumont Newhall
New York, 1946
Epreuve gélatino-argentique
d'époque
Tirage et image : 35,3 x 23,8 cm
HCB1946053W00007/29//1

Page 77
Roland Barthes
Paris, 1963
Epreuve gélatino-argentique
d'époque
Tirage et image : 29,7 x 19,9 cm
HCB1963012W08718/05//1

Page 78
Jean Genet
Café « Le Flore », Paris, 1964
Epreuve gélatino-argentique signée,
1979
Tirage : 30 x 40 cm
Image : 24 x 35,5 cm
HCB1963012W08719/39AC//1

Page 79
Jean-Marie Le Clézio et sa femme
Paris, 1965
Epreuve gélatino-argentique
d'époque, signée
Tirage : 30 x 39,8 cm
Image : 26,2 x 38,9 cm
HCB1965002W09325/14//2

Page 81
Paris
Avenue du Maine, 1932
Epreuve gélatino-argentique signée,
années 1980
Tirage : 30,5 x 40,5 cm
Image : 23,9 x 35,6 cm
HCB1932001W0070EC//4

Page 83
**Jean-Paul Sartre et Fernand
Pouillon**
Pont des Arts, Paris, 1946
Epreuve gélatino-argentique signée,
années 1980
Tirage 40,6 x 30,3 cm
Image : 35,7 x 23,9 cm
HCB1946055W00107/XC//3

Page 84
Paul Eluard
Chez lui, Paris, 1944
Epreuve gélatino-argentique
d'époque
Tirage et image : 28,4 x 18,1 cm
HCB1944002W00036/19//2

Page 85
Louis Aragon
Chez lui, Paris, 1945
Epreuve gélatino-argentique
d'époque
Tirage et image : 12 x 8 cm
HCB1945002W00051/06//2

Page 87
Albert Camus
Paris, 1945
Epreuve gélatino-argentique,
années 1980
Tirage : 25,5 x 20,2 cm
Image : 23,7 x 15,8 cm
HCB1945002W00106/18-18A//1

Page 89
Pierre Jean Jouve
France, 1964
Epreuve gélatino-argentique
d'époque
Tirage et image : 30,1 x 20,3 cm
HCB1964003W09022/18C//4

Page 90
Alain Robbe-Grillet
France, 1961
Epreuve gélatino-argentique
d'époque
Tirage et image : 29,6 x 19,8 cm
HCB1961010W07142/62//1

Page 91
Isabelle Huppert
Paris, 1994
Epreuve gélatino-argentique
d'époque
Tirage : 24 x 17,8 cm
Image : 21,8 x 14,4 cm
HCB1994006W14886/10A11//1

Page 93
Simone de Beauvoir
Rue Schoelcher, Paris, 1947
Epreuve gélatino-argentique,
années 1960
Tirage et image : 25,3 x 17 cm
HCB1947013W0095D//1

Page 94
Paul Claudel
France, circa 1945
Epreuve gélatino-argentique,
années 1970
Tirage : 21 x 30,4 cm
Image : 20,2 x 29,9 cm
HCB1951007W00970/13A//2

Page 95
Olivier Messiaen
France, 1962
Epreuve gélatino-argentique
d'époque
Tirage et image : 29,6 x 19,7 cm
HCB1964003W09014/12//2

Page 97
François Mauriac
Chez lui, Paris, 1952
Epreuve gélatino-argentique,
années 1970
Tirage : 30 x 20 cm
Image : 29,6 x 19,6 cm
HCB1952018W01555/22AC//5

Page 99
Julien Gracq
Chez lui, Paris, 1984
Epreuve gélatino-argentique
signée, 2001
Tirage : 30,1 x 40,3 cm
Image : 25 x 37,5 cm
HCB1984001W14456/13AC//1

Page 100
Emil Michel Cioran
Chez lui, Paris, 1984
Epreuve gélatino-argentique
d'époque
Tirage : 20,1 x 26,9 cm
Image : 15,7 x 23,7 cm
HCB1984001W14450/23//1

Page 101
Georges Duhamel
Chez lui, Auvers-sur-Oise,
France, 1945
Epreuve gélatino-argentique
d'époque, signée
Tirage et image : 35 x 23,8 cm
HCB1951007W00980/28A//2

Page 103
André Pieyre de Mandiargues
Italie, 1933
Epreuve gélatino-argentique
signée, 2001
Tirage : 30,1 x 40,3 cm
Image : 25,1 x 37,5 cm
HCB1933002W0066CC//2

Page 104
Joan Miró
Dans son studio, Barcelone, 1953
Epreuve gélatino-argentique
d'époque
Tirage et image : 24,7 x 16,9 cm
HCB1953014W02081/36A//1

Page 105
Zurich
Suisse, 1966
Epreuve gélatino-argentique, 1991
Tirage : 40,1 x 29,9 cm
Image : 37,6 x 25,3 cm
HCB1966012W10434/15//1

Page 106
Marie-Claude Vaillant Couturier
(dite Mara Lucas)
France, 1945
Epreuve gélatino-argentique,
années 1980
Tirage : 25,3 x 20,2 cm
Image : 23,5 x 15,2 cm
HCB1945002W00044/31//1

Page 106
Los Angeles
Etats-Unis, 1946
Epreuve gélatino-argentique, 1976
Tirage : 30,1 x 23,8 cm
Image : 25,7 x 17 cm
HCB1946019W00014/08C//1

Page 109
Paul Léautaud
Dans son jardin, France, 1952
Epreuve gélatino-argentique,
années 1980
Tirage : 35,5 x 28,1 cm
Image : 25,3 x 17 cm
HCB1951017W01165/08A//3

Page 110
Varsovie
Pologne, 1931
Epreuve gélatino-argentique
signée, 1987
Tirage : 40,4 x 30,3 cm
Image : 32,5 x 23,7 cm
HCB1931009W00024//09//2

Page 111
Sam Szafran
Dans son atelier, Malakoff, France,
1996
Epreuve gélatino-argentique
d'époque
Tirage : 30,4 x 23,8 cm
Image : 24,7 x 16,4 cm
HCB1996001W14920/21A22//1

Page 112
Saul Steinberg
Vermont, Etats-Unis, 1946
Epreuve gélatino-argentique
d'époque, signée
Tirage et image : 23 x 34,1 cm
HCB1946035W00001/33C//2

Page 113
Martine Franck
Paris, 1975
Epreuve gélatino-argentique
d'époque
Tirage : 18,9 x 25,7 cm
Image : 15,6 x 23,7 cm
HCB1975015W13758/15//1

Page 115
René Char
Chez lui, France, 1977
Epreuve gélatino-argentique
d'époque
Tirage : 16,9 x 25,4 cm
Image : 14,4 x 21,7 cm
HCB1977003W14089/17A18C//1

Page 116
Alfred Stieglitz
Chez lui, New York, 1946
Epreuve gélatino-argentique
signée, 1979
Tirage : 40 x 30 cm
Image : 24 x 35,5 cm
HCB1935001W0184DC//1

Page 117
Susan Sontag
Paris, 1972
Epreuve gélatino-argentique
d'époque
Tirage : 20,1 x 30 cm
Image : 19,6 x 29,4 cm
HCB1972014W12831/19//1

Page 119
Vicksburg
Mississipi, Etats-Unis, 1946
Epreuve gélatino-argentique
signée, années 1970
Tirage : 30,3 x 25,3 cm
Image : 29,4 x 19,7 cm
HCB1946006W00003/25//1

Page 121
Truman Capote
La Nouvelle-Orléans, Etats-Unis,
1947
Epreuve gélatino-argentique
signée, années 1990
Tirage : 30,4 x 40,7 cm
Image : 23,8 x 35,8 cm
HCB1946051W00011/01C//3

Page 123
Marc Chagall
Chez l'éditeur Tériade, Provence,
France, 1952
Epreuve gélatino-argentique, 1977
Tirage : 25,5 x 18,2 cm
Image : 23,9 x 15,8 cm
HCB1952002W01332/32C//2

Page 124
Michel Leiris
France, 1971
Epreuve gélatino-argentique
d'époque
Tirage : 30 x 19,7 cm
Image : 29,6 x 19,4 cm
HCB1971008W12345/32//1

Page 125
Lili Brick
Moscou, 1954
Epreuve gélatino-argentique,
années 1980
Tirage : 27,2 x 19,5 cm
Image : 24,7 x 16,6 cm
HCB1954008W02661/20A21//1

Page 126
Cordoue
Espagne, 1933
Epreuve gélatino-argentique
d'époque, signée
Tirage : 23,6 x 34,5 cm
Image : 34,5 x 23,6 cm
HCB1933001W0005DC//4

Page 127
Barbara Hepworth
Grande-Bretagne, 1971
Epreuve gélatino-argentique
Tirage : 25,4 x 20,2 cm
Image : 25 x 16,7 cm
HCB1971004W12309/20-20A//1

Page 128
Jacques Prévert
Paris, 1974
Epreuve gélatino-argentique,
années 1990
Tirage : 17,8 x 24 cm
Image : 14,4 x 21,7 cm
HCB1974005W13427/27//1

Page 129
Edith Piaf
France, circa 1946
Epreuve gélatino-argentique
signée, années 1970
Tirage : 30,3 x 40,5 cm
Image : 26,9 x 40 cm
HCB1946055W00069/39//1

Page 131
Igor Stravinsky
Dans son studio, Californie,
Etats-Unis, 1967
Epreuve gélatino-argentique
d'époque
Tirage : 20,1 x 29,5 cm
Image : 19,5 x 29 cm
HCB1967017W10890/26C//2

Page 132
Coco Chanel
Paris, 1964
Epreuve gélatino-argentique,
années 1970
Tirage : 25,5 x 20,1 cm
Image : 23,8 x 15,8 cm
HCB1964003W08990/26C//2

Page 133
Mélanie Cartier-Bresson
Paris, 1999
Epreuve gélatino-argentique, 2005
Tirage : 30 x 24,1 cm
Image : 26,6 x 17,8 cm
HCB1999001W14970//1

Page 135
Henri Matisse
Chez lui, Villa « Le Rêve », Vence,
France, circa 1944
Epreuve gélatino-argentique
signée, années 1970
Tirage : 24,8 x 16,5 cm
Image : 24,5 x 16,2 cm
HCB1951007W00966/29A30//2

Page 136
Christian Bérard
Saint-Mandé, France, 1946
Epreuve gélatino-argentique,
années 1950
Tirage et image : 15,7 x 22,9 cm
HCB1946054W0087D//3

Page 137
Luchino Visconti
Ombrie, Italie, 1961
Epreuve gélatino-argentique
d'époque
Tirage et image : 30,1 x 20,5 cm
HCB1961014W07216/42//1

Page 139
Carl Gustav Jung
Kusnacht, Suisse, 1959
Epreuve gélatino-argentique,
années 1990
Tirage : 25,7 x 19,4 cm
Image : 24 x 16 cm
HCB1959038W05950/64//1

Page 141
Alexey Brodovitch
New York, 1962
Epreuve gélatino-argentique
d'époque, signée
Tirage : 30 x 39,8 cm
Image : 26 x 39 cm
HCB1962001W07588/23//2

Page 143
John Huston
New York, 1947
Epreuve gélatino-argentique,
années 1970
Tirage et image : 17,1 x 24,8 cm
HCB1946053W00036/36//1

Page 145
Marilyn Monroe
Tournage des *Misfits*,
Etats-Unis, 1960
Epreuve gélatino-argentique,
années 1980
Tirage : 25,9 x 19,1 cm
Image : 23,6 x 15,7 cm
HCB1960014W06357/19AC//1

Page 146
Francis Bacon
Londres, 1971
Epreuve gélatino-argentique
d'époque
Tirage et image : 15,8 x 24,4 cm
HCB1971004W12321/00A//1

Page 147
Louis-René des Forêts
Paris, 1995
Epreuve gélatino-argentique
d'époque
Tirage : 23,8 x 30,3 cm
Image : 18,3 x 27,6 cm
HCB1995001W14907/05A//1

Page 149
Georges Braque
Paris, 1958
Epreuve gélatino-argentique,
années 1970
Tirage : 16,8 x 24,9 cm
Image : 16,5 x 24,5 cm
HCB1958020W05069/08//2

Page 151
Samuel Beckett
Chez lui, Paris, 1964
Epreuve gélatino-argentique,
années 1970
Tirage : 20 x 29,6 cm
Image : 18,6 x 28,1 cm
HCB1964003W09012/36C//4

Page 153
Pierre Bonnard
Chez lui, Le Cannet, France, 1943
Epreuve gélatino-argentique
d'époque, signée
Tirage et image : 24,2 x 34,5 cm
HCB1951007W00975/30//2

Henri Cartier-Bresson

1908   Conçu à Palerme, en Sicile.

Né le 22 août à Chanteloup, en Seine-et-Marne. Entretient une relation privilégiée avec son oncle peintre Louis. Etudes secondaires au lycée Condorcet, pas de diplôme.

1923   Se passionne pour la peinture et l'attitude des surréalistes.

1927-28   Etudie la peinture à l'atelier d'André Lhote.

1931   Parti à l'aventure en Côte-d'Ivoire, il y reste un an et prend ses premières photographies. A son retour, il découvre le Leica, qui devient son outil de prédilection. Voyage en Europe (Italie, Espagne...) et se consacre à la photographie.

1933   Expose à la Galerie Julien Levy de New York.

1934   Part un an au Mexique avec une expédition ethnographique. Expose ses photographies au Palacio de Bellas Artes de Mexico avec Manuel Álvarez Bravo.

1935   Séjourne aux Etats-Unis où il prend ses premières photographies de New York et s'initie au cinéma avec Paul Strand. Expose à la galerie Julien Levy pour la seconde fois, aux côtés de Walker Evans et Manuel Alvarez Bravo.

1936-39   Second assistant à la mise en scène de Jean Renoir pour *La vie est à nous*, puis *Une partie de campagne* et *La Règle du jeu*.

1937   Réalise *Victoire de la vie*, documentaire sur les hôpitaux dans l'Espagne républicaine pendant la guerre d'Espagne. Louis Aragon l'introduit à la revue *Regards*, où il publie plusieurs reportages dont un sur le couronnement du roi George VI à Londres.

1940   Fait prisonnier par les Allemands, il réussit à s'évader en février 1943 – après deux tentatives infructueuses.

1943   Réalise une fameuse série de portraits, dont ceux de Matisse, Picasso, Braque et Bonnard.

1944-45   S'associe à un groupe de professionnels qui photographient la libération de Paris. Réalise *Le Retour*, documentaire sur le rapatriement des prisonniers de guerre et des déportés.

1947   Passe plus d'un an aux Etats-Unis pour compléter une exposition « posthume » dont le Museum of Modern Art de New York (MoMA) avait pris l'initiative, le croyant disparu pendant la guerre.

Fonde l'agence coopérative Magnum Photos avec Robert Capa, David Seymour et George Rodger.

1948-50   Passe trois ans en Orient, en Inde (à la mort de Gandhi), en Chine (pendant les six derniers mois du Kuomintang et les six premiers mois de la Chine Populaire) et en Indonésie (au moment de son indépendance).

1952-53   Vit en Europe.

1952   Publie avec Tériade son premier livre, *Images à la sauvette*, avec une couverture de Matisse.

1954   Premier photographe admis en URSS après la détente de la guerre froide.

Publie *Danses à Bali*. Début d'une longue collaboration avec l'éditeur Robert Delpire.

1958-59   Retourne en Chine pour trois mois à l'occasion des 10 ans de la République Populaire.

1963   Retourne au Mexique et y reste quatre mois. *Life Magazine* l'envoie à Cuba.

1969-70   Réalise aux Etats-Unis deux documentaires pour CBS News.

1975   Se consacre au dessin. Le portrait et le paysage photographiques continuent de l'intéresser.

1986   Exposition « The Early Work » au MoMA, organisée par Peter Galassi.

1988   Exposition-hommage au Centre National de la Photographie organisée par Robert Delpire.

Création du Prix HCB, attribué à Chris Killip en 1989 et à Josef Koudelka en 1991.

2003   Rétrospective « HCB : De qui s'agit-il ? » à la Bibliothèque nationale de France.

Ouverture de la Fondation Henri Cartier-Bresson à Montparnasse, Paris.

2004   Henri Cartier-Bresson s'éteint le 3 août à Montjustin.

Cet ouvrage mis en pages par Steidl Verlag a été reproduit et achevé d'imprimer
en décembre 2005 par Steidl Verlag und Druck pour les Editions Thames & Hudson

Dépôt légal : 1er trimestre 2006
ISBN-10 : 2-87811-274-1
ISBN-13 : 978-2-87811-274-0
Imprimé en Allemagne

www.thameshudson.fr
www.henricartierbresson.org

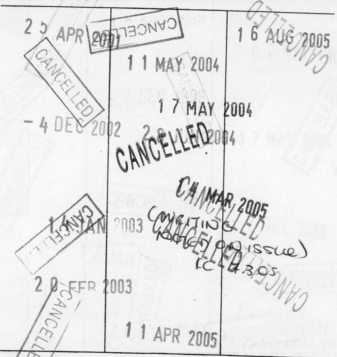